立体图形

我超喜爱的趣味数学故事书

宠物的新家

纸上魔方 著

北方妇女儿童出版社
长春

U0394923

图书在版编目（CIP）数据

　　宠物的新家：立体图形 / 纸上魔方著 . — 长春：
北方妇女儿童出版社，2014.4 （2020.5 重印）
　（我超喜爱的趣味数学故事书）
　ISBN 978-7-5385-8174-4

　Ⅰ . ①宠… Ⅱ . ①纸… Ⅲ . ①数学—儿童读物 Ⅳ .
① O1-49

　中国版本图书馆 CIP 数据核字 (2014) 第 049765 号

编委会

任叶立　徐硕文　徐蕊蕊　余　庆　李佳佳　陈　成　尉迟明姗

宠物的新家 · 立体图形
CHONGWU DE XINJIA · LITI TUXING

出 版 人	刘　刚
策 划 人	师晓晖
责任编辑	曲长军
插画绘制	纸上魔方
开　　本	889mm×1194mm　1/16
印　　张	2.5
字　　数	20 千字
版　　次	2014 年 4 月第 1 版
印　　次	2020 年 5 月第 2 次印刷
印　　刷	长春市彩聚印务有限责任公司
出　　版	北方妇女儿童出版社
发　　行	北方妇女儿童出版社
地　　址	长春市龙腾国际出版大厦
电　　话	总编办：0431-81629600　　发行科：0431-81629633
定　　价	19.80 元

数学就是这样有趣

　　数学有什么用？为什么学数学？对于许多小朋友来说，数学不仅是一门比较吃力的功课，枯燥、乏味的运算更让孩子心生畏惧。而数学原本就是一门来源于生活的科学。孩子们日常生活中的小细节、小故事，都蕴藏着丰富的数学知识，只要你稍加留心，就会发现无处不在的数学规律。

　　《我超喜爱的趣味数学故事书》正是抓住了这一规律，通过讲故事、做游戏，激发起孩子学习数学的兴趣。把抽象枯燥的数学知识，转化成看得见、用得到的生活常识，让孩子们通过故事与漫画，更加直观而轻松地认识数学、爱上数学。全书更重在培养孩子解决问题的思考方法，提高孩子逻辑思维能力和综合素质。

　　与此同时，编者还巧妙地将数学知识穿插在故事当中，这些入门知识的反复出现，更有利于孩子们加深记忆，掌握学习数学的技巧。

　　更值得一提的是，这套《我超喜爱的趣味数学故事书》还真正为父母们提供了一个和孩子共同学习的机会。在每一本分册的末尾，都有编者精心设计的互动园地。在这一板块中，父母可以更直观地看到书中所讲述的知识点，了解孩子的学习进度，结合实际应用，帮助孩子们进一步理解数学的意义，掌握数学知识。

　　相信这套《我超喜爱的趣味数学故事书》，一定会让孩子们认识到数学之美，轻轻松松爱上数学，学好数学！

　　由于编者水平有限，这套书中一定还有不足之处，敬请广大读者不吝赐教，为我们提出宝贵意见。

"苏珊，你的宠物们要是再乱跑，我一定会把它们都送走的！"妈妈站在院子里，生气地大喊。

"不要！妈妈，我现在就去跟它们谈谈。"苏珊刚刚从学校回到家，还没进房间就知道是自己的宠物们又给妈妈惹麻烦了。

2

刚刚走进客厅，苏珊险些被冲过来的托尼撞倒，沙发下面，扔着一团纠缠在一起的毛线，"这一定是牛奶的杰作！"苏珊自言自语地说。

3

看着地板上的花瓶碎片，还有正在客厅吊灯上荡秋千的桑妮，苏珊也有些生气了。

"看来，我真得想个办法让它们老实一点了！"苏珊打电话向姐姐苏菲求助："姐姐，牛奶不喜欢我的地毯……"

"那你给它们建造一个新家吧。"苏菲在电话里说。

　　"新家，它们的新家要怎么建呢？整理箱是四四方方的，那是托尼的最爱，至于牛奶嘛，它喜欢一切可以滚来滚去的东西，妈妈的毛线团，我的弹珠，还有爸爸的笔筒。可是总不能让它坐在那里面去吧？"苏珊自言自语地说着，跑到了院子里。

"妈妈，托尼很喜欢整理箱，你可以把整理箱借给托尼当新家吗？"苏珊跑到院子里去问妈妈。

"不行，苏珊，你可以去找找其他的东西，储藏室里有很多类似的盒子。"妈妈说。

储藏室

"哦，好吧，妈妈。"苏珊在储藏室里转来转去，忽然眼前一亮，"妈妈，这个鞋盒子可以给我用吗？它也是四四方方的，和整理箱很像！"

"这个没问题，你拿去用吧。"妈妈说。

很快苏珊又找来了彩笔、白纸、剪刀和胶带。比照着旧鞋盒，很快把白纸裁剪成了相应的大小，用彩笔画上了托尼喜欢的肉骨头，再贴在鞋盒上。

"来吧，托尼，看看这个新家，你很喜欢吧。"

"汪汪汪。"托尼一边叫着一边欢快地跑进了自己的新家。

"好了，接下来该轮到牛奶了。"按照刚才的方法，苏珊很快给牛奶也做好了新家。

"来吧，牛奶，
到这里面去玩。"

苏珊原本以为，用6个面的纸盒可以关住牛奶，可是没想到，牛奶喵喵叫着，怎么都不愿意在新家里面住下。

13

"哦，牛奶，你到底想要干什么？"

"喵喵，喵喵。"牛奶一脸骄傲，就是不肯听话。它又跑到沙发下面，把那团已经被抓乱了的毛线球找出来玩。

"牛奶，难道你觉得你的新家不够漂亮吗？好吧，我再来帮你装饰一下。"说着，苏珊跑进自己的房间里，把一些旧的杂志卷成了圆锥体，像城堡的尖顶一样，然后扣在了牛奶的新家上面。

不过，牛奶还是不领情，就是不愿意进去玩。

"苏菲，托尼很喜欢它的新家，可是牛奶还是不肯听话，怎么办？我不想牛奶被妈妈送走。"

"它为什么不喜欢新家呢？"苏菲问。

"我也不知道，难道是因为这里没有它喜欢的玩具？"看着牛奶爪子下面的毛线球，苏珊好像忽然想到了什么。"好了，我知道是怎么回事了，我去问问妈妈。"

"妈妈，妈妈，可以给我一团毛线吗？"苏珊飞跑到院子里。

"你要毛线做什么？"苏珊妈妈一边浇花一边问。

"不，不是我要，是牛奶，它的新家需要一点玩具，不然它不想住进去啊。"苏珊说。

"毛线还有用，不能给牛奶当玩具，你去找找其他的东西，只要是圆形的，它应该都喜欢吧，好像储藏室里有你小时候的皮球，这个或许它也会喜欢的。"妈妈说。

"好的妈妈。"苏珊跑回储藏室，很快地找出来一个小皮球，"是啊，这个和毛线团一样，都是圆滚滚的，或许牛奶会喜欢吧。"

"对了，还有这个！牛奶也会喜欢的吧。"苏珊还发现了不知道什么时候被自己扔在这里的纸团。

"牛奶，看看这个你喜欢吗？"苏珊说着，把小皮球扔进了鞋盒里。

"喵喵。"牛奶看到小皮球，便放过了毛线团，乖乖地钻进了自己的新家。

晚饭时候，妈妈很高兴看到托尼和牛奶都有了新家，可是，一直在客厅吊灯上荡秋千的桑妮还是让妈妈很头疼。

而且，偶尔掉落的羽毛，还让爸爸打起了喷嚏。

24

"苏珊，你有托尼和牛奶陪你玩了，要不，把桑妮送到苏菲那里吧。"爸爸说。

"不要，爸爸，我今天在储藏室里，已经找到了一个很大的鸟笼，本来今晚就可以让桑妮住进去的，可是鸟笼子里没有它喜欢的秋千。我正在想办法，给它做一个。它喜欢细细的，圆圆的柱子，只要有这样一个小东西，它就可以站在上面了。"苏珊说。

"那你去找找家里面有没有这样的东西吧。"妈妈说。

"哦，妈妈，我找到了很多，你的毛衣针，我的铅笔，还有，哦，还有爸爸的牙刷，大概都可以。隔壁邻居李阿姨是从中国来的，她有一种东西叫作筷子，我想桑妮也会喜欢的。"苏菲说。

"这样啊，不如你去看看你的铅笔吧，我想，这就应该足够了。"爸爸说。

"好吧，就是它了！我这就去找出来。"苏珊连晚饭都不吃了，飞快地跑回了自己的房间。"哗啦"一声，她把笔筒里的笔都倒在了桌子上。

"对啊，这就是桑妮喜欢的样子！"很快苏珊就找到了一支很合适的铅笔，接下来她又去找妈妈要来了细绳。和爸爸一起把两根细绳系在铅笔的两端，然后固定在鸟笼里。

"太好了，这下桑妮也有了自己的新家，不用再被送走了！"苏珊看着桑妮高兴地站在鸟笼的秋千上，自己也开心地笑了。

测试题

长方体有 ＿＿＿＿ 个面 ＿＿＿＿ 条边 ＿＿＿ 个顶点

我们身边的 ＿＿＿＿＿＿＿＿＿＿＿＿＿＿＿＿ 是长方
体？（请写出三种物体的名字）

正方体有 ＿＿＿ 个面 ＿＿＿＿ 条边 ＿＿＿ 个顶点

请你画出两个大小不同的正方体

你身边有球形的物体吗？请写出它们的名字

＿＿＿＿＿＿＿＿＿＿＿＿＿＿＿＿＿＿＿＿＿＿＿

你身边有圆柱体吗？请写出它们的名字

＿＿＿＿＿＿＿＿＿＿＿＿＿＿＿＿＿＿＿＿＿＿＿

立体图形

以下是关于立体图形的小故事

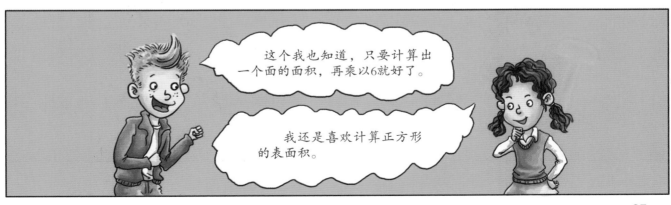